www.literaturasm.com

Para Ana Cañizal

Primera edición: mayo 2004
Decimotercera edición: enero 2013

Dirección editorial: Elsa Aguiar

© del texto: Gabriela Keselman, 2004
© de las ilustraciones: Teresa Novoa, 2004
© Ediciones SM, 2004
   Impresores, 2
   Urbanización Prado del Espino
   28660 Boadilla del Monte (Madrid)
   www.grupo-sm.com

ATENCIÓN AL CLIENTE
Tel.: 902 121 323
Fax: 902 241 222
e-mail: clientes@grupo-sm.com

ISBN: 978-84-348-6134-3
Depósito legal: M-31551-2009
Impreso en la UE / *Printed in EU*

Conejos de etiqueta

Gabriela Keselman

Ilustraciones de Teresa Novoa

Había veinte veces
un conejo pequeño.
O, mejor dicho,
había una vez
veinte conejos pequeños.
Todos grises,
con orejas largas
y cara de conejos.

Los veinte vivían una tranquila
vida de conejos
junto a su mamá y su papá
en el pueblo de Villaconejos.

Un día pasó algo
que nunca había pasado.
Los señores Conejo
recibieron una carta.
El señor Conejo pegó un salto
hacia arriba.
Y tardó un buen rato en bajar.

Luego, la señora Conejo
dio un salto hacia abajo.
Así que no llegó muy lejos.

Se pasaron la carta el uno al otro
y el otro al uno.

Cuando la dejaron
bien leída y pringosa,
exclamaron entusiasmados:

–¡Nos han aceptado para participar
en el Concurso de la Zanahoria Rallada!

El papá Conejo estaba tan nervioso
que se arrancaba los bigotes.

La mamá Conejo se tropezaba
con las maletas.

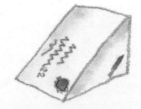

Y los dos llamaban a la abuela Conejo
por el mismo teléfono.

–Tienes que venir
y cuidar a tus nietos durante tres días.

–Tienes que cuidar a tus nietos
durante tres días y venir.

A la abuela Conejo le encantó la idea.
Solo había un problema.
La abuela Conejo era la abuela
más despistada del mundo.

Cuando llegó,
los señores Conejo
le dieron instrucciones
a toda prisa.

–Lo apuntaré todo –dijo la abuela–.
Así no me voy a equivocar.

Sacó unas etiquetas
y tomó nota.

—Recuerda —dijo la mamá Conejo
abrazando a un conejo—.
¡Este es un *trasto*!
Le tienes que lavar las orejas a mano
y con estropajo.
Las manchas de tinta no salen.
El chicle que tiene en el rabo, tampoco.
Ah, aléjalo de los jarrones chinos.

–Pero si no tienes jarrones chinos
–dudó la abuela.
    –¡Tú, aléjalo igual!

–Y esta preciosa conejita
es la *tiquismiquis*
–dijo el papá Conejo.
    La abuela escribió:

    Tiquismiquis:
No hay que darle zanahorias hervidas.
Ni en rodajas ni sin pelar.
Solo come los domingos
a las tres de la mañana.

–Este es el más *tranquilo*
–siguieron señalando–.
Se lava solo,
entero o por partes.
Se seca al aire o con secador.
Come lo que hay
y se pone la bufanda de lana
aunque pique.
    La abuela sacó otra etiqueta.

–Y este es el *peleón*
–dijo la mamá Conejo.
Y la abuela escribió:

Peleón:
Hay que cortarle las uñas,
limarle los dientes
y hasta los bigotes cada hora.
Se le reconoce por los moretones.

–Este es el *mandón*.
Si no quieres problemas,
tendrás que obedecerle.
Esta es la *monda*.
Ya te darás cuenta...
¡Es que es la monda!
Aquel es el más *perezoso*
para levantarse de la cama
y esta la más *remolona*
para ir a la cama.
No tienen solución.

Esta es un *torbellino*,
este es el *quejica*,
aquella es la más *lista*
y este el *buenazo*.
Esta es muy *independiente*,
este es un *desordenado*,
y aquella es la *celosa*.
Aquel es un *juguetón*,
esta es la *soñadora*
y este es el *mimoso*.

La abuela gastaba el lápiz
a toda velocidad:

Algo miedica:
No puede ver vídeos de lobos
antes de dormir.
Prohibido jugar con ella
a la Zanahoria Asesina.

Metepatas:
Hay que vigilar lo que dice a las visitas.
Es importante taparle la boca
si viene el tío Conejeti.
Y hay que esconderle
si viene la tía María Coneja.

Y así la abuela Conejo
rellenó veinte etiquetas pequeñas.
Las pegó una a una
en la espalda de sus nietos.
Y sonrió satisfecha.

Se despidió de los señores Conejo,
que ya se habían despedido hacía rato.
Y, por fin, se sentó en el patio
a despistarse a sus anchas.

De pronto, una ligera brisa
le hizo cosquillas.

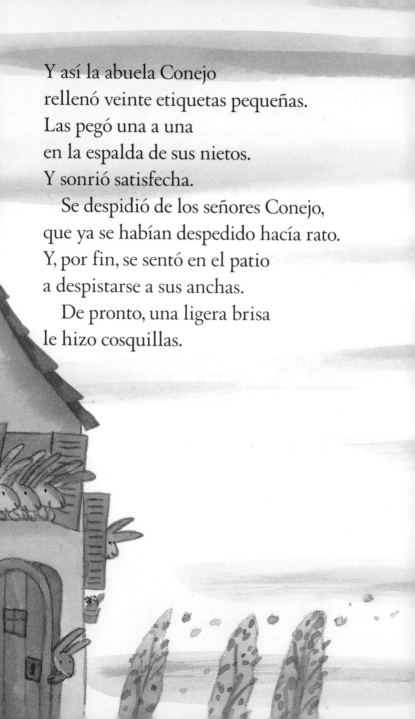

La brisa se convirtió en viento.
El viento en ventarrón.
Las hamacas volaron.
Los picaportes de las ventanas
salieron disparados.
Los geranios, los rastrillos
y los conejitos de escayola del jardín...
Y hasta las etiquetas se despegaron
y fueron de acá para allá.

31

Cuando la tormenta paró,
la abuela no tenía ni idea
de quién era quién.
   Los veinte conejos la miraban
sonriendo.
Y ella miraba a los veinte conejos
muy seria.
¿Cómo iba a reconocer
a cada uno?

33

Justo en ese momento
la respuesta llamó a la puerta.
¡Era la tía María Coneja!
¡Acompañada por el tío Conejeti!
La abuela les hizo pasar
con una sonrisa pícara.
Llevó a todos los nietos a la sala.
No escondió a ninguno.
Ni le tapó la boca a nadie.
Esta era la manera perfecta
de descubrir al metepatas.

–¡Qué perfume tan rico traes, tía!
–dijo un conejito.
    –¡Qué delgado estás, tío!
–dijo otro.
    Y los demás no dijeron nada.
Se sentaron alrededor de las visitas
con las orejas cruzadas.
    –No es posible
–murmuró la abuela–.
Uno tiene que meter la pata.
    Pero la abuela esperó en vano.
Las visitas se marcharon
tan campantes.
Y la abuela siguió
igual de confundida.
O peor.

A la hora de cenar tuvo una idea.
Sirvió veinte tazones
de sopa de zanahorias.
    –Seguro que la tiquismiquis
no la va a probar
–se rió para sus adentros.

Sin embargo, diecinueve conejos
comieron sin rechistar.
Y se relamieron.
Uno solo no probó bocado,
frunció el morro y dijo "Puaj".
Era el que tenía un moretón
en la frente.
    La abuela se rascó la barbilla.
Ella recordaba que el del moretón
era el peleón.
Parpadeó
y vio otro conejo con moretones.

–Abuela, ¿no te habrás puesto
las gafas al revés?
–preguntó un conejo riéndose.
    Era despistada,
pero sus gafas estaban al derecho.
Y ahora tenía
dos conejos con moretones
y uno de ellos no quería comer.
¡Y, encima, una tiquismiquis
que era una tragona!
    –¡Ay,
se ha colado un remolino
en mi cabeza!
–gimió.

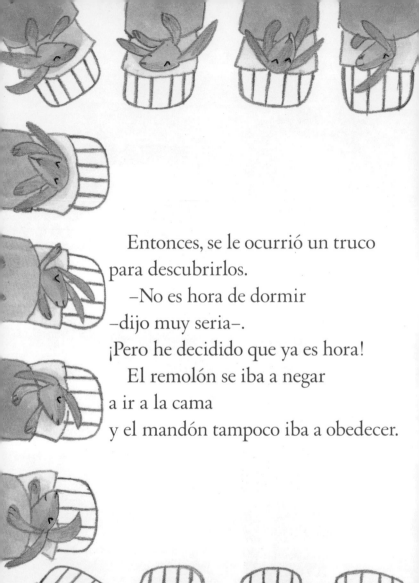

Entonces, se le ocurrió un truco
para descubrirlos.
   –No es hora de dormir
–dijo muy seria–.
¡Pero he decidido que ya es hora!
   El remolón se iba a negar
a ir a la cama
y el mandón tampoco iba a obedecer.

Pero todos se metieron
en sus camitas.
Diecinueve se hicieron
los dormidos.
Y un conejo se quedó frito
de verdad.
Pero la abuela Conejo
no notó la diferencia.
   –¡No puede ser!
–repetía la abuela
dando la vuelta
alrededor de sí misma.

No pegó ojo en toda la noche,
piensa que te piensa.
Se devanó los sesos.
Y para aprovechar el tiempo,
tejió una bufanda de lana.
   Cuando había terminado
el último fleco,
ya había amanecido.
   Y, de repente,
tuvo otra idea más.

45

Llamó a sus nietos y preguntó:
–¿Quién se quiere poner
una bufanda de lana
que pica espantosamente?
El que levantase la pata,
ese era el conejo tranquilo.
Pero el único que aceptó
fue el conejito que aún seguía
sin salir de la cama.

–¿Es el perezoso?
¿Es el tranquilo?
¡Qué enredo!
–exclamó la abuela,
enroscándose la bufanda
en la cabeza.

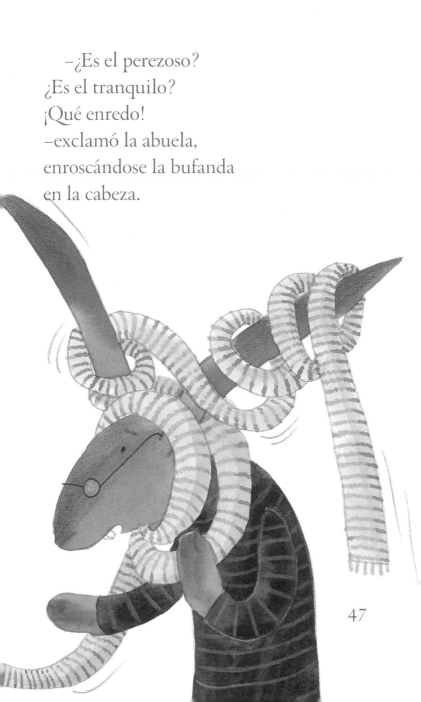

Entonces, la abuela Conejo
se dio una palmada en la frente.
–¡Les haré la prueba del agua!
–exclamó.

48

Los metió a todos en el cuarto de baño.
Levantó el estropajo enjabonado...
Pero menuda sorpresa se llevó.
   –Hay tres conejos
con manchas de tinta
y un chicle en el rabo –dijo–.
¿Hay tres trastos?

Era raro.

–Me estoy volviendo loca
como una cabra
–se lamentó–.
Y eso es lo peor que le puede pasar
a un conejo.

El quejica, además,
tenía que quejarse de que el agua
estaba demasiado fría,
o demasiado caliente,
o demasiado mojada.
Pero nadie protestó.
Ni cuando el champú
les entró en los ojos.

De pronto
supo cómo descubrir a la miedica.
Sentó a los veinte en corro
y propuso:

–¡Vamos a jugar
a la Zanahoria Asesina!
Pero, del susto,
todos se pusieron a chillar.
Y se escondieron en el armario.
–¡Esto es imposible!
–suspiró la abuela Conejo.

Y dejó a sus nietos a su aire.

Todos comieron y remolonearon.

Todos protestaron y mandaron.

Todos se asustaron y se calmaron.

Todos estudiaron y ayudaron.

Todos desordenaron
y rompieron alguna cosa.

Todos pidieron mimos
y metieron las cuatro patas.

Todos se portaron mal, bien y regular.

Todos se pusieron celosos,
inquietos, imaginativos
y le hicieron reír.

–¡Sois la monda!
–aplaudió la abuela Conejo,
y los abrazó a todos.

Tres días más tarde,
los señores Conejo regresaron a casa.
Habían ganado el segundo premio.
¡Un trofeo con forma de rabanito!
Lo celebraron con zumo de zanahoria.
Y la abuela Conejo
les contó la historia
de las etiquetas y el viento.
Y los veinte conejos les contaron
veinte veces lo mismo.

El señor Conejo colocó el trofeo
sobre la chimenea y suspiró:
–¡Vaya! Un rabanito…
¡Yo quería el primer premio!
–Eres un *mal perdedor*
–le regañó la mamá Conejo.
–Y tú eres una *regañona*
–contestó el papá Conejo.

Los conejitos sacaron
dos etiquetas en blanco.
   –Abuela,
ponles una etiqueta a cada uno
–dijeron riendo.
   Pero la abuela Conejo
sacudió la cabeza.
Y se marchó de Villaconejos
por si acaso.
   Eso sí,
en cada una de las veinte etiquetas
que llevaba pegadas en la espalda
ponía:

La abuela preferida

¿QUIERES LEER MÁS?

SI TE GUSTA **CONEJOS DE ETIQUETA** PORQUE SUS PROTAGONISTAS SON ANIMALES QUE HABLAN Y SIENTEN COMO PERSONAS, TAMBIÉN TE GUSTARÁ **NADIE QUIERE JUGAR CONMIGO**, la historia de Pocosmimos, un pobre castor que quiere celebrar una fiesta para sus amigos y nunca acierta en la manera de hacerlo.

NADIE QUIERE JUGAR CONMIGO
Gabriela Keselman
EL BARCO DE VAPOR, SERIE BLANCA, N.º 67

Y TE OCURRIRÁ LO MISMO CON **EL LOBO FLORINDO**, que cuenta cómo un lobo muy pesado está empeñado en tomarles el pelo a una gallina y a sus pollitos, pero estos no se dejan.

EL LOBO FLORINDO
Isabel Córdova
EL BARCO DE VAPOR, SERIE BLANCA, N.º 99

SI TE LO HAS PASADO MUY BIEN CON **CONEJOS DE ETI-QUETA** PORQUE CUENTA LAS COSAS QUE HACEN LOS DISTINTOS MIEMBROS DE UNA FAMI-LIA, PUEDES LEER TAMBIÉN **SI TIENES UN PAPÁ MAGO**, que describe la estupenda relación que hay entre Chiqui y su papá, que cada día le regala unas valiosas palabras mágicas antes de que la niña se vaya al colegio.

SI TIENES UN PAPÁ MAGO
Gabriela Keselman
EL BARCO DE VAPOR, SERIE BLANCA, N.º 60

SI TE PARECE DIVERTIDÍSIMO QUE HAYA TANTOS HER-MANOS EN UNA MISMA FAMILIA, COMPRENDERÁS LOS DESEOS DE JUAN, EL PROTAGONISTA DE **¡QUIERO UN HERMANITO!**, que intenta colaborar para que sus padres hagan todo lo posible por aumentar la familia.

¡QUIERO UN HERMANITO!
María Menéndez-Ponte
EL BARCO DE VAPOR, SERIE BLANCA, N.º 101